Dans la même collection

La sorcière et le magicien

Gorillo mène l'enquête

Les drôles d'idées de Dorothée

Le voyage de Perlipopette

Les Lapinos en montgolfière

Lecture Club Benjamin

Le voyage de Perlipopette

Texte:
Ann Rocard

Illustrations:
Yves Lequesne

EH Héritage jeunesse

1
LE PAYS
DE CHAT-TOFORT

Au pays de Chat-Tofort vivent 1 000 chats, exactement 1 000 chats. On y voit des chats de toutes les couleurs : tricolores, écossais, mouchetés... des chats à rayures et des chats à carreaux, des chats à petits pois...

Ces chats sont tous différents les uns des autres : des petits et des grands, des gros et des maigres, des courageux et des peureux, des savants, des gourmands...

Le plus gai de tous ces chats est le chat L'heureux. Quand il parle, quand il miaule, il finit toujours par éclater de rire :
— Ah ! Ah ! Ah ! A bon chat bon rat, comme dirait mon grand-père, le chat Rivari !

Le pays de Chat-Tofort est un drôle de pays où se dressent 1 000 petits châteaux à créneaux et à tourelles. Des drapeaux multicolores flottent au sommet des donjons et sur les remparts.
De grands ponts-levis enjambent

les rivières où pêchent des chats-pêcheurs.

Ce matin, un chat très coquin qui adore chatouiller ses voisins parcourt le pays de Chat-Tofort. C'est le chat Touille ! Il marche d'un bon pas en frappant sur un tambour et il crie à tue-tête :

— Ecoutez tous ! Ecoutez tous ! Le chat L'heureux a une bonne idée.

— Une bonne idée ? Hum... Ça m'étonnerait, grogne le chat Gringrin.

— Je déteste les idées, ajoute le chat Moqueur, toujours de mauvaise humeur.

Heureusement, les autres chats du pays de Chat-Tofort ne sont pas aussi grognons que ces deux-là, et ils demandent :

— Quelle idée? Dis vite!

— Mystère et boule de gomme, répond le chat Touille. Rendez-vous ce soir après le dîner dans le château du chat L'heureux.

— On y sera! promettent tous les chats.

Le soir venu, 999 chats se retrouvent dans la salle du château de L'heureux.

8

Pourquoi 999 et non pas 1 000 ? Le vieux chat Van n'est pas là. Il doit être en train de bricoler dans son gigantesque atelier. Van est un savant !

Les chats ronronnent devant la cheminée où brûle un grand feu. Vautrés sur des coussins de soie, certains racontent les dernières aventures du pays. D'autres rient en lapant un peu de lait et en croquant quelques poissons grillés.

Soudain, le chat L'heureux lève la patte :
— Mes amis…
— Chut ! Taisez-vous ! proteste le chat Cristin, un chat tout noir avec un béret blanc perché entre les deux oreilles. Chut !

— Mes amis, reprend le chat L'heureux. J'ai une proposition à vous faire : organisons une fête déguisée au pays de Chat-Tofort. Ah! Ah! Ah! Qu'en pensez-vous? Les chats se redressent : bravo! Quelle idée formidable!

— On fera de nombreuses épreuves sportives! lance le chat Lu, spécialiste de la planche à voile.

— On dansera! ajoute le chat Rlestone.

— On préparera un buffet couvert de gâteaux au poisson, de crèmes de poisson et de sucettes au poisson, ajoute la jolie Charlotte.

Peu à peu, la grande fête s'organise. Chacun se charge d'une

épreuve, d'un jeu ou d'un plat cuisiné. Même le chat Gringrin et le chat Moqueur sont d'accord... ce qui est très rare.

La soirée est presque terminée, quand le chat Loupe demande la parole. Loupe est le détective du pays de Chat-Tofort : un détective, paraît-il, très malin !

— Je voulais vous signaler quelque chose...

— Quoi ? s'étonnent les chats.

Quelle nouvelle le chat Loupe va-t-il annoncer ?

2
UN JOUR DE PLUIE

Loupe regarde tous les chats droit dans les yeux, et il explique :
— On aurait vu passer près de la rivière Chat-Coultrovite...
— Qui que quoi? s'inquiètent les chats.
— Une silhouette inconnue, une

silhouette zébrée de roux et de blanc…

— Un monstre? sursaute le chat Cristin.

Le chat Loupe hoche la tête :

— Certainement pas… Peut-être un chat venu d'un autre pays. Maintenant, pensons à autre chose. N'est-ce pas, L'heureux?

— Oui, préparons la grande fête qui aura lieu dans deux jours, précise le chat L'heureux. Bonne nuit à tous!

— Bonne nuit! répètent les 998 chats en quittant le château pour retourner chez eux.

Le lendemain, le soleil refuse de se montrer. La pluie, goutte à goutte, chante sur l'étang et la rivière.

A l'abri d'un arbre, le chat Moqueur ronchonne :

— Pluie du matin, chagrin !

— C'est bien vrai, approuve son voisin Gringrin.

— S'il fait ce temps-là demain, la fête sera à l'eau, ajoute le chat Moqueur.

Pauvre chat Moqueur ! Il n'est jamais content, mais personne ne lui en veut, car il lui est arrivé une mésaventure terrible. Un jour qu'il chassait les rats, il est tombé dans une crevasse... il a roulé, roulé jusqu'au fond. Quand il s'est relevé, il était tout écorché et il avait deux grosses bosses sur le dos, deux belles bosses de chameau !

— Oh! Ça ne durera pas! avait dit
le docteur chat Tertone.
Mais hélas, depuis deux ans déjà,
les bosses n'avaient pas diminué
d'un centimètre!
Pauvre chat Moqueur! La vie
n'était pas très gaie pour lui!

Comme tous les chats du monde, les chats du pays de Chat-Tofort détestent la pluie.

Ils préfèrent rester au sec dans leurs châteaux.

Tous les chats ? Non ! Qui est donc celui-là ? Il est vêtu d'un ciré de marin et il porte de grandes bottes en caoutchouc. C'est Lu, le plus sportif de tous les chats !

Debout sur sa planche à voile, il file à toute vitesse sur la rivière Chat-Coultrovite.

— Coa coa ! se moque un gros crapaud. Coa coa ! Le chat Lu est pire qu'un poisson-chat.

Sans écouter le crapaud, Lu regagne la rive. Quelque chose lui chatouille le bout des pattes.

Est-ce Touille qui lui joue une farce ! Hop ! Lu saute dans l'herbe et retire ses bottes. Cinq petits poissons en jaillissent, cinq poissons que Lu s'empresse de croquer.

— Coa coa ! Pas mal comme pêcheur ! applaudit le crapaud. Mais quel mauvais navigateur !

Soudain, un bruit terrible se fait entendre :

CLIC CLOC BING CROUC !

Une machine bleue dévale la colline aux cent jonquilles. On a l'impression qu'elle ne pourra jamais s'arrêter…

CLIC CLOC BING CROUC !

Un vieux chat est assis à l'intérieur. Il gesticule et crie :

— TUT TUT ! Attention, devant !
Laissez passer l'autobus !

Lu écarquille les yeux :
— Mais, c'est le chat Van ! Il va
plonger dans la rivière !

L'autobus s'arrête à trois centi-
mètres de la rive et le chat Van
passe la tête par la fenêtre :
— Salut, galopin !
— Bonjour ! dit Lu.
— Tu as vu ma nouvelle inven-
tion ? demande fièrement le chat
Van. Je suis prêt pour le grand
départ.
— Quel départ ? s'étonne Lu.
— Je vais explorer la région du
Grand Nord ! répond Van.

Le Grand Nord ? Le chat Van est

complètement fou... On raconte que cette région est très dange-reuse et, jusqu'à présent, aucun chat n'a osé y aller.

3
C'EST BIENTÔT LA FÊTE !

Quand le chat Van a une idée en tête, il ne veut pas en changer. Le chat Lu a beau lui dire : « Ne pars pas ou jamais tu ne reviendras dans notre pays ! » Van hausse les épaules et se met à rire :

— Ah! Ah! Galopin, tu es plus peureux qu'une souris!

Dans un grand bruit de ferraille, l'autobus bleu du chat Van contourne rapidement la colline aux cent jonquilles et s'éloigne avec des CLIC CLOC BING CROUC!

Le chat Lu est sans doute le dernier chat de Chat-Tofort à voir le savant vivant, et il soupire :
— Pauvre Van, il est un peu fou... Mais on l'aime bien.
Lu ne le sait pas, mais il n'est pas seul au bord de la rivière Chat-Coultrovite. Quelqu'un a tout vu et tout entendu : un chat roux et blanc, caché derrière un buisson. Qui est-ce donc?

A présent, la pluie ne tombe plus et la grande fête se prépare. La jolie Charlotte et le chat cuisinier Pomelon s'occupent du restaurant

en plein air.

Lu place des barrières pour les parcours sportifs.

Tertone, le chat docteur, monte une tente-infirmerie :

— On ne sait jamais... Si un ça che blèche... Heu, pardon ! Si un chat se blesse, je serai là pour le soigner.

Quant au chat Rade, il va de l'un à l'autre et pose des devinettes :

— Qui veut entendre ma dernière charade ?

— Moi, dit le chat L'heureux.

— Mon premier est affreux, méchant, laid...

— C'est un rat, évidemment !
interrompt L'heureux en riant.

— Mon deuxième est un nom de
poisson qui finit par « on », continue le chat Rade.

— C'est un thon! dit L'heureux.
Et mon tout est un raton! N'est-ce
pas? Ah! Ah! Ah! Tes charades
sont trop faciles.

À la tombée de la nuit, tout est
enfin prêt.

La grande roue et les montagnes
russes s'élèvent au centre de la
plaine. Le toboggan géant est fixé
sur la colline aux cent jonquilles.
Les chats vont se coucher dans
leurs châteaux, rêvant déjà de
déguisements, de jeux, de danses
et de barbes à papa.

Le lendemain, dès le lever du
soleil, la fête commence.
Tous les chats du pays de Chat-
Tofort se sont déguisés et seuls
quelques-uns ont été reconnus.

Le chat Touille, costumé en coccinelle, ne peut s'empêcher de chatouiller ses voisins. Ah, quel coquin !

Le chat L'heureux rit sans arrêt derrière son masque de soleil.

Un chat déguisé en dragon n'arrête pas de poser des devinettes :

— Mon premier est...

— Tu es le chat Rade ! Tu es le chat Rade ! interrompent les autres chats.

— Ça alors ! s'étonne le chat Rade. Je n'ai rien dit... Comment avez-vous deviné ?

Les concours ont également commencé. Tout d'abord, le concours de pêche au bord de la rivière Chat-Coultrovite.

Le chat Moqueur, déguisé en dromadaire, lance sa ligne et s'écrie :
— Ça y est! J'ai pêché quelque chose de lourd!
— Au secours! À moi! proteste son voisin, le chat Gringrin. L'hameçon est accroché au fond de mon pantalon!

Un peu plus loin se déroule le concours de planche à voile. Le chat Lu pensait être tout seul à participer à cette course. Eh bien, non! Il y a un autre concurrent, déguisé en diable.

— Bizarre, chuchote le docteur chat Tertone. Seul Lu sait se tenir debout sur une planche à voile. Qui est donc cet autre chat?

Le plus étonnant est que ce drôle de diable remporte de nombreuses épreuves : tir à l'arc, course en sac, patins à roulettes... Qui se cache sous ce déguisement? Mystère!

4

LE CHAT DIABLE

La fête s'achève enfin. Les chats commencent à nettoyer le pays de Chat-Tofort. Ils sortent des balais et d'énormes poubelles. Quel fouillis !

Des confettis et des serpentins dans tous les coins ! Des ballons de baudruche perchés en haut des arbres ! Des vélos sans roues et des roues sans vélos ! Il y a même un raton laveur en peluche qu'un joueur a oublié sur le toboggan géant.

A la tombée de la nuit, tous les chats se retrouvent dans la grande salle du château de L'heureux, où les médailles vont être remises.

— Et maintenant, dit L'heureux, voici les résultats des concours. Ah ! Ah ! Pêche : une médaille d'or pour le chat Gringrin !

— Hourra !

— Je ferai mieux la prochaine fois, promet Gringrin avec un large sourire.

Les gagnants sont applaudis. Mais

pour l'instant, personne n'a encore parlé de l'inconnu. Enfin, le chat L'heureux se gratte le fond de la gorge :

— Hum… Vous attendez tous que je vous présente un certain diable qui a remporté de nombreuses épreuves. Ah! Ah!

— Oui! C'est qui? s'écrient les chats, impatients.

Le chat L'heureux écarte un rideau et fait apparaître un grand chat rayé de roux et de blanc, un chat aux moustaches frisées et aux larges yeux d'un bleu perçant.

— Voici le chat Perlipopette! annonce L'heureux. Ah ah ah!

— Le chat perquoi? sursaute Moqueur.

— Le chat perqui ? ajoute son voisin Gringrin.

Dans la grande salle du château, les chats hochent la tête, grimacent et chuchotent :

— Il n'est pas d'ici...

— On ne l'a jamais vu !

— Il y a déjà 1000 chats dans notre pays. 1000 : ça suffit !

— Il faut se méfier des inconnus !
Le chat Perlipopette ne bouge pas. Il est surpris par la réaction des habitants de Chat-Tofort. Heureusement, L'heureux lui propose :

— Si tu veux, tu peux habiter dans mon château. Ah ! Ah ! Il y a beaucoup de place.

— Merci, dit Perlipopette.
Puis il ajoute à voix basse :

— Si les autres chats sont aussi peu accueillants, je ne resterai pas longtemps ici.

Les jours passent. Perlipopette est un peu triste, car les habitants de Chat-Tofort ne lui adressent pas la parole. Seul, le chat L'heureux essaie de le consoler et de le distraire :

— Ne t'en fais pas ! Dans une semaine ou deux, ça ira mieux.

Les chats ne parlent pas au chat Perlipopette, mais Perlipopette, lui, garde les oreilles grandes ouvertes. Il écoute attentivement toutes les conversations.

— Il a disparu…

— Qui ?

— Le chat Van ! Son château est complètement vide ! •

Un matin, le détective du pays de Chat-Tofort prend sa loupe et décide de mener une enquête :

— Quand avez-vous vu le chat Van pour la dernière fois ?

— Une semaine avant la grande fête, répond le chat L'heureux. Ah ! Ah ! Ah ! Il fabriquait une

grosse machine dans son atelier.

— Une grosse machine? sursaute le chat Loupe. Je tiens une piste…

— Je dirais même : une très grosse piste! interrompt le chat Lu. Un énorme autobus bleu qui faisait CLIC CLOC BING CROUC!

Le détective écarquille les yeux : CLIC CLOC BING CROUC?

— Exactement! dit Lu. Le chat Van est parti explorer la région du Grand Nord.

Le Grand Nord? Les habitants de Chat-Tofort ne disent plus un mot. Les explorateurs qui sont partis là-bas ne sont jamais revenus. Les chiens y sont, paraît-il, très féroces…

Alors, le chat Loupe hausse les épaules :

— Van est vraiment un vieux fou. On ne peut rien faire pour l'aider. On ne le reverra plus.

Et le chat détective retourne tristement chez lui.

5
EN ROUTE!

Le lendemain, les chats répètent
en pleurant :
— Pauvre Van ! On l'aimait bien.
Il ne reviendra plus jamais.

Au pays de Chat-Tofort, un seul
chat serre les poings. Un seul chat
ne gémit pas. Il prépare son sac à
dos : c'est Perlipopette.

— Que fais-tu? s'étonne le chat L'heureux.

— Je pars à la recherche de Van, répond Perlipopette.

— Tu es aussi fou que lui! s'écrie L'heureux.

— Ma décision est prise, explique Perlipopette.

L'heureux soupire :

— Bon voyage, et prends garde à toi!

— Je te le promets! dit le chat Perlipopette.

Et il ajoute :

— Je voulais te remercier, car tu as été le seul à m'accueillir dans ce pays. Je ne l'oublierai jamais. Au revoir, L'heureux!

— Au revoir!

C'est ainsi que le chat Perlipo-pette, à peine arrivé au pays de Chat-Tofort, reprend son gros sac à dos rempli de couvertures et de vêtements chauds, de poissons séchés et d'un bidon de lait frais.

Perlipopette quitte le château du chat L'heureux et il se dirige vers les hautes montagnes gelées. Reviendra-t-il un jour? Ramènera-t-il le chat Van et son autobus bleu?

— Ça m'étonnerait... grogne le chat Moqueur.

— Ça m'étonnerait... répète le chat Gringrin qui a bien du cha-grin.

Perlipopette marche d'un bon pas en sifflotant. Le chemin devient de

plus en plus étroit et caillouteux.

— Je me demande comment l'autobus a pu rouler sur une route pareille, s'étonne le chat.

Soudain, un vent glacé se met à souffler. Perlipopette enfile un anorak fourré et une cagoule bien chaude, puis il continue son voyage.

Un flocon... Deux flocons... Des milliers de flocons de neige tourbillonnent dans tous les sens.

— Il ne manquait plus que ça, ronchonne Perlipopette. Si je ne trouve pas un abri, je vais me transformer en glaçon. Alors, adieu, Van ! Adieu, le pays de Chat-Tofort !

La tempête de neige fait rage. Maintenant, tout est blanc : on ne voit ni les montagnes, ni le chemin caillouteux. Mais du coton ! Partout du coton ! Un ciel de coton, des nuages de coton, un monde de coton !

Tout à coup, Perlipopette glisse et tombe dans une crevasse :

— Au secours! Aidez-moi! Nom d'une souris, je suis perdu!

Heureusement, la crevasse n'est pas profonde et le chat se retrouve assis sur un coussin de mousse sèche, à l'abri du vent, de la neige et du froid.

— Ouf! Je ne me suis pas fait mal, dit Perlipopette. Cette chute m'a donné faim. Je vais manger et me reposer un peu en attendant la fin de la tempête.

Et il sort de son sac un gros poisson séché.

Mais le chat n'ouvre pas la bouche. Il a l'impression qu'on l'observe... Oui, il n'est pas seul dans cette crevasse.

Perlipopette regarde d'un côté, de

l'autre… Il ne découvre rien d'anormal.

Soudain, il aperçoit deux minuscules points de lumière, à deux mètres de lui.

— Qui qui… qui est là ? bafouille le chat.

— Qui qui… qui est là ? répète une voix, encore plus inquiète que la sienne.

— Vous vous... vous êtes un ami ou un ennemi? demande Perlipopette.

— Je je... je ne suis l'ennemi de personne, dit la voix, toute tremblante. Je suis un pinson, une sorte d'oiseau.

— Et moi, un chat! dit Perlipopette.

— Un chat? Maman, au secours! hurle le pinson. Maman...

— Ne crie pas comme ça! interrompt Perlipopette. Ne t'inquiète donc pas: je ne mange jamais d'oiseau. Je n'aime que le poisson!

6

ALFRED LE PINSON

Le pinson sort de sa cachette et il
s'approche de Perlipopette :
— Jure-moi que tu ne me croque-
ras pas !
— Évidemment ! dit le chat.
— Jure-le ! insiste l'oiseau.

Perlipopette lève la patte droite :

— Je te le promets ! Maintenant, viens manger ! ajoute le chat, qui donne au pinson quelques miettes trouvées au fond de son sac à dos.

Perlipopette jette un coup d'œil au-dehors : la tempête se calme un peu. Il neige déjà moins.
Le pinson agite les ailes et vient se poser sur la tête du chat :
— Comment t'appelles-tu ?
— Perlipopette ! Et toi ?
— Alfred, répond l'oiseau. D'où viens-tu ?
— Du pays de Chat-Tofort, qui se trouve de l'autre côté des montagnes gelées, explique le chat. C'est très loin. J'ai marché pendant des heures...

Le pinson se met à rire :

— Ah ah ah! A vol d'oiseau, ce n'est pas si loin que ça. Mais toi, tu n'as pas d'ailes comme moi.

A présent, il ne neige plus. Le chat Perlipopette ramasse son sac à dos et il sort de la crevasse.

— Où vas-tu? demande le pinson Alfred.

— Je cherche une drôle de machine : un autobus bleu, répond Perlipopette.

L'oiseau réfléchit et claque du bec :

— Une drôle de machine avec un vieux chat dedans?

— Oui, c'est ça! s'écrie le chat Perlipopette.

— Une machine qui fait CLIC CLOC BING CROUC?

— Exactement! dit Perlipopette. Tu l'as vue?

Alfred fait oui de la tête. Il se souvient très bien de cette drôle de machine bleue et il raconte :
— Tous les oiseaux se sont perchés sur le toit... CLIC CLOC BING CROUC! Ça remuait, ça bougeait, ça nous chatouillait! La machine nous a transportés jusqu'au lac rouge. Ensuite, nous sommes revenus en volant.
Le lac rouge? Où se trouve donc ce lac rouge?

Le pinson s'installe aussitôt sur le sac à dos et il propose :
— Si tu veux, je vais te guider jusqu'à ce lac. Mon copain Martin

te pêchera quelques poissons. Tu feras un festin de roi !

— Parfait ! dit Perlipopette, qui se lèche les babines.

— Mais avant, ajoute Alfred, nous traverserons une grande forêt : une belle forêt parfois dangereuse ! En route !

Le chat Perlipopette marche à grands pas sur le chemin tout blanc. Ses bottes s'enfoncent profondément dans la neige.

Maintenant, la route redescend. La neige fond rapidement et le chemin caillouteux réapparaît.

Les deux voyageurs s'éloignent enfin des montagnes gelées.

Perlipopette range son anorak, sa cagoule dans son sac, et il soupire :

— Ouf! J'espère qu'il n'y a pas trop de montagnes dans la région du Grand Nord. Moi, je déteste la neige. Mais toi, Alfred, que faisais-tu dans un endroit aussi froid?

— Je survolais les montagnes quand j'ai été surpris par la tempête, explique le pinson. Sans la crevasse où nous nous sommes rencontrés, je serais sûrement mort gelé...

— Moi aussi, dit Perlipopette.

Tout en discutant, le chat avance rapidement. Le voilà dans une forêt de sapins, portant toujours le pinson Alfred sur son sac à dos. Alfred a beaucoup d'amis dans cette forêt. Il salue au passage madame Rouge-Gorge et sa couvée :

– Bonjour, je vous présente mon nouveau copain, le chat Perlipopette !

— Au secours ! Un... un chat ! piaillent les oiseaux, effrayés.

— Rassurez-vous ! dit le pinson. Il ne mange que du poisson !

Une famille de lapins leur fait un signe de la patte.

— Salut, Alfred !

— Bonjour ! Bonjour ! répond le pinson.

Quel calme extraordinaire ! Perlipopette se sent heureux. Il aimerait vivre toujours dans cette forêt. Mais il ne sait pas qu'un événement terrible va bientôt se produire...

7
LA SIRÈNE D'ALARME

Le chat Perlipopette traverse la
forêt en sifflotant. Soudain, il
s'arrête au milieu du chemin :
— Alfred, tu as entendu ?
— Non... dit l'oiseau.
— Chut ! Ecoute !

Un hibou, réveillé en sursaut, se

met à ululer : OUH! OUH!
OUH! OUH! OUH!
Tous les animaux courent se
cacher au plus profond de la forêt.
Les lapins disparaissent dans leur
terrier. Deux escargots qui fai-
saient une course de vitesse se
blottissent dans leurs coquilles.
Madame Rouge-Gorge fait taire
ses petits :

— Chut! Les voilà! Chut, plus un
bruit!

Perlipopette ne comprend pas :
que se passe-t-il? Pourquoi tant de
bruit? Qu'est-ce que c'est?

— C'est la sirène d'alarme! dit le
pinson.

— Une alarme? Pour quoi faire?
s'étonne le chat.

— Pas le temps de t'expliquer !
Grimpe à un arbre le plus vite
possible ! ordonne Alfred. A tout à
l'heure !

Et le pinson, affolé, s'envole à tire-
d'aile.

Le chat Perlipopette dresse
l'oreille : OUAH ! OUAH !
OUAH ! Il entend très nettement
des aboiements.

OUAH ! OUAH ! OUAH ! Des
centaines d'aboiements…

Alors, Perlipopette se souvient de
ce que racontent les habitants du
pays de Chat-Tofort : « Dans la
région du Grand Nord vivent des
chiens très féroces… »

La meute de chiens se rapproche.
On les entend de mieux en mieux :

de gros chiens noirs qui hurlent comme des fous, cherchant quelque chose à se mettre sous la dent.

Au sommet d'un sapin, Alfred le pinson encourage le chat :
— Dépêche-toi ! Grimpe !
— Je n'y arrive pas avec ce sac à dos, gémit Perlipopette.

— Laisse ton sac au pied de l'arbre ! ordonne l'oiseau.

— Mais j'en aurai besoin…

— Si les chiens te dévorent, ce sac ne te servira à rien, dit le pinson. Vite ! Ils arrivent !

La meute de chiens apparaît au détour du sentier. Apercevant Perlipopette, les chiens noirs se précipitent vers lui.

Heureusement, le chat a suivi les conseils de son ami le pinson : il a abandonné son sac à dos sur le sol… Et hop ! en quelques bonds, le voilà perché sur la plus haute branche d'un sapin.

— GRRR ! gronde Hercule, le chef de la bande. GRRR ! Ce chat va glisser…

— Ce chat va tomber… ajoute Dracula, un horrible chien baveux. Il va tomber… Nous n'aurons qu'à ouvrir la gueule et GRRR!

— Tais-toi! rugit Hercule. C'est moi le chef! C'est moi qui le mangerai!

Mais Perlipopette est bien trop malin. Il a planté ses griffes dans l'écorce de l'arbre. Rien ne le fera bouger.

— Ils vont rester là longtemps? demande le chat.

— Je n'en sais rien, répond Alfred. A mon avis, ils finiront par perdre patience.

En effet, trois heures plus tard, les gros chiens noirs font demi-tour.

— GRRR! rugit Hercule. Ce chat est bien accroché… Mais la prochaine fois que je l'aperçois, il finira dans mon estomac !

— Bien parlé, chef ! approuve Dracula.

— Suivez-moi ! ordonne Hercule.

— D'accord, chef ! aboient tous les chiens de la meute.

Et les chiens noirs s'éloignent, emportant le sac à dos du chat Perlipopette.

— On est sauvés ! s'écrie le pinson.

— Que vais-je devenir sans mon sac ? s'inquiète Perlipopette. Mon anorak ! Ma couverture !

— Tu trouveras une autre solution, dit le pinson. Suis-moi, car il faut atteindre le lac rouge avant la nuit !

Sans plus attendre, les deux amis quittent la grande forêt de sapins...

8
LE LAC ROUGE

A l'orée du bois apparaît une
immense plaine verte et fleurie.
La route serpente à travers les
champs, puis elle longe un grand
lac : un lac aux eaux rouges, un lac
glacé où nagent des milliers de
poissons.

Alfred fait une pirouette et dit :

— Voilà le lac rouge !

— C'est un lac de sang ? s'étonne Perlipopette.

— Non ! s'amuse le pinson. Le fond du lac est couvert de pierres rouges. C'est sans doute à cause de ces pierres que l'eau du lac est de cette couleur.

Le chat s'approche de la rive. Il aimerait bien attraper un ou deux poissons.

— Attends ! dit Alfred. Je vais chercher mon copain Martin. C'est le meilleur pêcheur que je connaisse.

— Avec quoi pêche-t-il : un filet, une ligne ou un harpon ? demande Perlipopette.

— Il pêche avec son bec, répond le pinson. Martin est un oiseau, un superbe martin-pêcheur !

Le pinson s'envole aussitôt. Le chat Perlipopette s'assied dans l'herbe.

Le soleil disparaît derrière une colline bleue. Un vent léger fait danser les fleurs de toutes les couleurs. Vraiment, quel pays extraordinaire ! Encore plus beau que Chat-Tofort !

Peu après, Alfred revient à tire-d'aile avec le martin-pêcheur. Tous les deux se posent sur un rocher, au bord de l'eau.

— Bonsoir ! dit Perlipopette.

— Bonsoir ! répond Martin. C'est la première fois que je salue un chat.

Perlipopette éclate de rire :

— Ah! Ah! Ah! Et moi, c'est la deuxième fois que je parle à un oiseau.

— La première fois, c'était avec moi ? demande Alfred.

— Exactement! répond le chat.
Le martin-pêcheur secoue ses plumes et il ordonne :

— Un peu de silence, s'il vous plaît! C'est l'heure du dîner!
Martin prend son élan et plonge la tête la première dans le lac. Il en ressort, tenant dans son bec un gros poisson vert qu'il dépose aux pieds du chat :

— Bon appétit!

— Merci! s'écrie Perlipopette.

— Alfred, tu en veux un? propose le martin-pêcheur.

— Je préfère les graines, répond le pinson.

Pendant qu'Alfred va chercher son dîner sous un buisson, Martin plonge une deuxième fois.

— Incroyable! s'étonne le chat. Un oiseau qui mange du poisson... comme moi? Je n'ai jamais vu ça!

Martin avale rapidement un poisson jaune et bleu, puis il hoche la tête :

— Il paraît que vous venez d'échapper à une meute de chiens?

— Oui, dit Perlipopette. De gros chiens noirs.

— C'est la bande d'Hercule! explique le martin-pêcheur. Une bande terrible qui dévore tous ceux qui se trouvent sur son passage.

— Je l'ai échappé belle, avoue le chat. La prochaine fois que j'entendrai aboyer, je grimperai aussitôt à un arbre...

— Et s'il n'y a pas d'arbre? interrompt Martin.

Perlipopette soupire :

— Je préfère ne pas y penser...

La nuit est tombée.

Le martin-pêcheur donne un dernier conseil au chat :

— Quand tu dors, mets-toi toujours à l'abri.

— ... A cause des chiens, ajoute le pinson. Ils courent si vite qu'on ne sait jamais où ils sont.

Du bout de l'aile, Martin montre une barque au bord de la rive :

— Monte dans cette barque et rame jusqu'à la petite île que tu vois là-bas...

Perlipopette écarquille ses yeux de

chat, mais il ne voit rien du tout.
Comment pourra-t-il atteindre
l'île?

9

UN BOULON BLEU

Le martin-pêcheur propose alors à
Perlipopette :
— Alfred et moi, nous allons te
guider jusqu'à cette île. Là-bas, tu
pourras dormir tranquille…
— Sans faire de cauchemar ! précise le pinson.

— Mais les chiens savent nager, remarque Perlipopette.

— L'eau est glacée, explique Martin. Hercule et sa bande détestent être enrhumés !

Le chat et les deux oiseaux prennent place dans la barque. Peu après, ils atteignent l'île et ils débarquent sur une plage minuscule.

— Bonne nuit ! dit Perlipopette.

— Bonne nuit ! répondent le pinson et le martin-pêcheur.

Le lendemain matin, le chat Perlipopette ouvre les yeux... et que voit-il à côté de lui ? Une montagne de poissons.

— C'est ton petit déjeuner, dit le martin-pêcheur.

— Comme tu es gentil ! remercie le chat. Crois-tu que je pourrai manger tout ça ?

— Au moins la moitié ! ordonne le pinson. Et mets le reste dans tes poches. Ta journée sera longue. Je suis sûr que tu finiras par retrouver la drôle de machine bleue.

Martin claque du bec et il ajoute tristement :

— La drôle de machine bleue : certainement. Mais le vieux chat : hélas, j'ai peur que cette région soit trop dangereuse pour lui. Je te souhaite un bon voyage, Perlipopette !

— Sois prudent ! ajoute Alfred. Et passe me voir au retour !

— Promis ! dit le chat.

Après un petit déjeuner copieux, Perlipopette s'installe dans la barque et il rame jusqu'à l'autre rive du lac. Il saute sur la rive et rejoint la route.

Un peu plus loin se trouve un carrefour : cinq larges chemins se croisent.

Quel chemin l'autobus bleu a-t-il suivi ?

Perlipopette réfléchit :

— Hum... La route qui longe le lac se dirige sûrement vers les montagnes gelées. Il reste donc quatre chemins possibles.

Ne sachant lequel choisir, le chat ramasse une feuille et il la lance en l'air, en disant :

— Je suivrai la route sur laquelle cette feuille retombera.

Malheureusement, la feuille tour-
billonne au-dessus du sol, puis se
pose sur la tête de Perlipopette.

— Ah, c'est malin! ronchonne le
chat.

A ce moment-là, il aperçoit quelque chose qui brille sur le chemin
de droite : « la route sablée ».
Qu'est-ce que c'est? On dirait une
petite étoile qui scintille au soleil.
Perlipopette court jusqu'à l'étoile
et il s'écrie :

— Formidable! Ce n'est pas une
étoile! C'est un boulon : un gros
boulon bleu!

Il n'y a pas beaucoup de machines
bleues dans la région du Grand
Nord. Ce boulon appartient sans
doute à l'autobus du chat Van!

Perlipopette ramasse le boulon et il s'éloigne à grands pas sur la route sablée :

— Je trouverai peut-être d'autres boulons bleus sur le chemin. Comme les cailloux du Petit Poucet, ils me conduiront jusqu'à leur propriétaire.

La route longe d'immenses champs de sable et de pierres. Pas la moindre fleur ! Pas le plus petit ruisseau !

Au loin se dressent quelques collines. Le chat Perlipopette s'en approche rapidement. Il transpire à grosses gouttes :

— Je croyais qu'il faisait un froid de canard dans cette région... Pfff ! J'étouffe ! Il n'y a pas un seul arbre où s'abriter ! Si par hasard les chiens reviennent, je ne leur échapperai pas...

Perlipopette atteint enfin les collines. La chaleur est déjà plus supportable. Le chat s'assied par terre et il sort de sa poche deux petits poissons.

10
L'AVALANCHE
DE PIERRES

Tout à coup, Perlipopette entend
un drôle de bruit :
— Bizarre ! On dirait qu'un orage
vient d'éclater. Ou bien c'est la
bande d'Hercule qui est de
retour...

Perlipopette regarde autour de lui : rien à droite, rien à gauche, rien devant… Ah ! Au-dessus, juste au-dessus du chat, une avalanche de pierres dévale la colline à toute vitesse… Une énorme avalanche !

— Au secours ! hurle le chat, qui se jette sur le côté et se blottit à l'abri d'un gros rocher.

Les pierres roulent, roulent, roulent avec un bruit de tonnerre : BRRRRRRRRRRR ! Le chat Perlipopette ne bouge pas, de peur de recevoir une pierre sur la tête.

Quand, enfin, il n'entend plus de bruit, il sort difficilement de son abri et s'écrie :

— Ça alors ! Les pierres se sont

entassées sur la route! Elle forment une vraie montagne! L'autobus ne pourra plus suivre ce chemin... et moi, il faut que j'escalade ces rochers, si je veux passer de l'autre côté.

Perlipopette saute aussitôt de pierre en pierre jusqu'au sommet. De l'autre côté de la montagne, il entend un gémissement.

— Il y a quelqu'un? demande le chat.

— Au secours! Au secours! répète faiblement une voix. Mes pattes sont coincées sous les rochers.

Perlipopette s'approche et il découvre un jeune renard :

— Tu as mal?

— Un peu, répond le renard, courageux.

Mais le chat voit bien que le renard
ne dit pas la vérité : il serre les
dents et souffre beaucoup.
Vite, Perlipopette soulève les

grosses pierres l'une après l'autre. Ça y est! Le renard est enfin libéré, mais il ne peut pas bouger et il gémit :

— Mes pattes arrière sont cassées. Je ne pourrai plus jamais marcher, courir, sauter...

— Ne t'inquiète pas! dit le chat, qui sort un peu de ficelle de sa poche. Je vais te soigner. D'abord, je vais attacher tes pattes sur des baguettes de bois : on appelle ça des attelles.

Perlipopette s'éloigne, à la recherche de morceaux de bois. Heureusement, de petits arbres s'élèvent çà et là sur les collines et le chat détache facilement quatre longues baguettes.

Quand le renard est soigné, le chat l'interroge :

— Quel est ton nom ?

— Jules. Et toi ?

— Perlipopette, répond le chat. Je viens du pays de Chat-Tofort.

Perlipopette raconte au renard son long voyage et il ajoute :

— Tu as peut-être aperçu cet autobus bleu que je recherche ?

— Non, je ne l'ai pas vu, dit Jules. Par contre, j'ai entendu une nuit de drôles de bruits...

— CLIC CLOC BING CROUC ? demande le chat.

— Oui, c'était tout à fait ça, répond le renard.

Perlipopette est sur la bonne piste : l'autobus bleu a bien traversé ces collines.

Alors, le chat soulève le blessé avec précaution et il le place sur son dos, en disant :

— Je vais te porter jusqu'à chez toi. Indique-moi le chemin.

— Mon terrier se trouve assez loin d'ici, explique Jules. Tu ne pourras pas me porter pendant un kilomètre !

Perlipopette se met à rire et il commence à marcher lentement :
— Ah! Ah! Ah! Je suis plus costaud que tu ne le crois! Tu veux faire un pari avec moi?
— Oh non, répond Jules, qui a retrouvé le sourire. Je te crois!

11
JULES EST GUÉRI

Le chat transporte Jules jusqu'à
son terrier, creusé non loin d'un
torrent. Il dépose doucement le
renard blessé sur un tapis de
feuilles mortes, puis il s'allonge à
côté de lui et s'endort, épuisé.

Perlipopette reprendra-t-il la route dès demain ? Non, car Jules a besoin de lui. Il restera ici jusqu'à la guérison de son nouvel ami.

Le temps passe lentement. Un matin, le chat Perlipopette pêche des poissons au bord du torrent, quand Jules s'approche de lui en boitant un peu :

— Regarde mes pattes ! Je marche presque comme avant !

— Formidable ! dit le chat.

— Tu vas continuer ton voyage ? demande le renard.

— Dès aujourd'hui ! répond le chat. J'ai l'impression que tu as quelque chose à me confier...

— Heu oui, hésite Jules. Je je... je peux venir avec toi ?

— Bien sûr ! s'écrie le chat. Nous partirons dans une heure, d'accord ?

— D'accord ! dit le renard.

Les deux amis croquent les poissons que Perlipopette vient de pêcher.

Ensuite, Jules prépare deux paquets : une couverture pour chacun, quelques outils et une corde, un peu de nourriture... et il explique :

— Là-bas, il fait beaucoup plus froid qu'ici.

— Tu as raison, dit le chat. Il faut toujours prévoir le pire. De toute façon, ces deux paquets ne sont pas très encombrants.

Perlipopette et Jules quittent le

terrier. Ils reprennent la route sablée qui se dirige vers le Nord. Le renard ne marche pas très vite, mais le chat avance lentement pour ne pas fatiguer son ami.

Tout à coup, des aboiements

retentissent : OUAH, OUAH !
OUAH ! Le chat et le renard
s'immobilisent, terrifiés.

— La meu... meute ! bégaie Perlipopette. Il n'y a pas d'arbre... Ca-
tastrophe !

Jules aperçoit un trou entre deux
rochers :

— Vite ! Nous allons nous cacher
là.

— Les chiens vont sentir notre
présence ! proteste Perlipopette.

— Non. Regarde ! dit le renard,
qui sort une poudre grise de son
paquet. C'est du poivre !

Jules étale la poudre sur le chemin,
puis les deux amis se glissent entre
les rochers et ils attendent sans
bouger.

OUAH! OUAH! OUAH! La meute est toute proche.

— GRRR! gronde Hercule. J'ai reconnu son odeur!

— GRRR! rugit Dracula. C'est le chat! L'affreux matou de la forêt!

Dans sa cachette, Perlipopette est vexé : lui, un affreux matou? Mais il tremble de peur et il préfère être un matou vivant plutôt qu'un chat mort...

Soudain, les chiens noirs s'arrêtent de courir. On dirait qu'ils ont perdu la trace du chat et du renard. Comment est-ce possible?
Hercule et sa bande plissent leurs museaux et ATCHOUM! ils se mettent à éternuer... ATCHOUM! ATCHOUM! à éternuer sans pouvoir s'arrêter.

Hercule est fou furieux :

— GRRR ATCHOUM! Ce chat est un malin... Mais la pro... ATCHOUM! la prochaine fois que je l'aperçois, il fini... ATCHOUM! il finira dans mon estomac.

— Bien parlé, chef ATCHOUM! approuve Dracula.

— Tu m'appelles chef Atchoum? gronde Hercule.

— Non, chef tout court, dit Dracula. Mais ATCHOUM! mon nez me chatouille...

— Nous ATCHOUM! nous aussi! aboient tous les chiens de la meute.

— Alors, demi-tour! ordonne Hercule. ATCHOUM!

Les chiens noirs disparaissent à l'horizon, sans avoir découvert le renard Jules et le chat Perlipopette.

Soulagés, les deux amis sortent de leur cachette et Perlipopette félicite le renard :

— Bravo, Jules ! Cette poudre grise qui fait éternuer nous a sauvés.

— Il faut toujours avoir un peu de poivre sur soi ! dit Jules en riant. Maintenant, en avant !

12
L'ÉTANG GELÉ

Le lendemain, les deux amis longent un étang gelé, sur lequel des pingouins font du patin à glace.

— Bonjour! dit Perlipopette.

— Encore des visiteurs! soupire un pingouin coiffé d'un bonnet de laine jaune.

— On ne sera jamais tranquilles, proteste un autre pingouin. Vous voulez camper au bord de l'étang ? Avec une tente, une roulotte ou un autobus ?

— Un autobus ! s'exclament le chat et le renard.

Les deux pingouins haussent les épaules :

— Vous n'avez jamais vu d'autobus ? C'est une grosse machine qui fait CLIC CLOC BING CROUC !

— Hourra ! s'écrient le chat et le renard. Hourra !

— Ils sont fous, ces deux-là, remarquent les pingouins, qui font demi-tour.

Perlipopette les rappelle :
— S'il vous plaît ! Une dernière

question ! Quand et où avez-vous vu cet autobus pour la dernière fois ?

Le pingouin au bonnet jaune réfléchit :

— Hum… Il y a une semaine environ. Le vieux chat Van a campé longtemps au bord de notre étang. Il dessinait la carte de la région.

— Il est reparti dans cette direction-là, ajoute l'autre pingouin, en tendant la patte.

Perlipopette et Jules sautent de joie.

Après avoir déjeuné, ils remercient les pingouins et ils suivent le chemin indiqué.

La route, bordée de grands arbres, longe de profonds ravins. Un peu plus loin, elle disparaît dans d'étranges tunnels.

Jules regarde le ciel et décide :
— Il faut trouver un abri avant la nuit.
— D'accord ! dit Perlipopette, qui n'a pas oublié les conseils du martin-pêcheur. Je n'ai pas envie de finir dans l'estomac d'Hercule. Peu après, le chat et le renard se glissent dans un terrier étroit. Jules verse un peu de poivre devant l'entrée, en chuchotant :
— On ne sait jamais !
Et les deux amis s'endorment aussitôt.

Soudain, un bruit terrible les réveille en sursaut.

— Qu'est-ce que c'est? murmure le renard. Les chiens?

— Non, répond Perlipopette. Ni les chiens, ni une avalanche de pierres. C'est le tonnerre! Un orage vient d'éclater.

Les deux amis jettent un coup d'œil à l'extérieur : des éclairs zèbrent le ciel. La foudre tombe sur un arbre qui s'enflamme.

Jules et Perlipopette se serrent l'un contre l'autre. Ils ont horreur des orages.

— Regarde... chuchote tout à coup le renard.

— Où ça? demande le chat.

— Là-bas, près du ravin...

A la lueur des éclairs, le chat et le renard aperçoivent des silhouettes noires qui bondissent sur la route :

la meute d'Hercule poursuit une
ombre énorme… Quel est ce
monstre ? Peut-être un animal pré-
historique ?
Peu à peu, l'orage s'éloigne et

toutes les formes inquiétantes disparaissent dans l'obscurité.

Les deux amis passent le reste de la
nuit à l'abri dans le terrier. Pendant que le renard dort, le chat
veille, à l'écoute du moindre bruit.
Puis Jules fait le guet pendant que
Perlipopette se repose.

Le lendemain, Perlipopette et
Jules continuent leur voyage. Mais
ils ne sont pas très rassurés.
— Ecoute! dit le renard. Tu
n'entends pas des chiens aboyer?
— Non... répond le chat, les
oreilles grandes ouvertes.

Perlipopette regarde autour de lui.
La foudre a brûlé quelques arbres.
L'eau de pluie forme de nom-

breuses cascades qui sautent sur les rochers et forment un petit lac bleu au fond du ravin.

Mais est-ce vraiment un lac?

13
L'AUTOBUS

Perlipopette entraîne le renard :
— Viens! Descendons dans le ravin. Il y a sûrement des poissons dans ce lac.

— Tu es fou! s'écrie Jules. Je ne suis pas aussi agile que toi!

— Je vais t'aider! promet le chat.

Perlipopette et Jules descendent avec précaution jusqu'au fond du ravin. La tache bleue n'est pas très grande.

— On dirait un étang, remarque le renard. Pas un lac!

— Un étang? sursaute le chat. Je ne crois pas!

En quelques bonds, Perlipopette atteint la tache bleue et il saute de joie :

— C'est l'autobus! Viens vite, Jules! C'est l'autobus qui a dû tomber de la route!

En effet, la grosse machine bleue se trouve au fond du ravin. Elle est toute cabossée, deux vitres sont cassées et les portières avant sont coincées.

Perlipopette essaie de regarder ce qu'il y a à l'intérieur, mais il ne voit rien, car il y fait trop sombre.

Jules montre la porte arrière de l'autobus :

— Cette porte-là n'a pas l'air très abîmée.

En forçant un peu, les deux amis parviennent à entrouvrir la porte et ils se glissent dans l'autobus.

Tout est renversé à cause de l'accident. A l'avant, le chat Van est allongé par terre.

Perlipopette l'examine aussitôt :

— Il est évanoui. Aide-moi à trouver la mallette d'urgence. Il y en a certainement une dans cet autobus.

Sous un siège, le chat découvre

une mallette qui contient des bandes, des médicaments, du coton et du mercurochrome.

— Je ne savais pas que tu étais un véritable infirmier, remarque le renard.

— Moi non plus, avoue le chat, qui soigne Van aussi bien qu'il peut.

Enfin, le chat savant ouvre les yeux et demande :

— Où suis-je? Mes lunettes! Où sont passées mes lunettes?

— Les voilà, dit doucement Perlipopette. Ne bougez pas et rassurez-vous : vous êtes entre de bonnes pattes!

Le chat Van écarquille les yeux. Il essaie de se rappeler ce qu'il fait dans un endroit pareil.

— Vous avez eu un accident, explique le renard.

— Un accident? s'étonne le chat savant. Ah oui! Je me souviens : la meute de chiens noirs poursuivait l'autobus. Le plus grand, sans doute le chef de la bande, a bondi devant le pare-brise. Et alors...

— Et alors ? demandent le chat et le renard.

— Et alors, j'ai braqué le volant… Mon autobus a plongé dans le vide.

L'ombre que les deux amis avaient aperçue pendant la nuit n'était pas un monstre. C'était l'autobus du chat Van !

Décidément, Hercule et sa bande ne causent que des dégâts !

Le chat savant essuie ses lunettes et il semble surpris :

— Un renard dans mon autobus ? C'est étonnant !

Perlipopette se met à rire :

— Ah ! Ah ! Ah ! Nous ne nous sommes pas présentés. Voici mon ami Jules…

— Et mon ami Perlipopette, ajoute le renard. Il a fait tout ce voyage pour vous retrouver.

— Pour me retrouver? s'étonne le chat Van. Dites-moi tout; je vous écoute.

Alors, le chat Perlipopette raconte son arrivée au pays de Chat-Tofort, la fête et les épreuves sportives, le long voyage dans la région du Grand Nord. Il n'oublie pas de parler des amis qu'il a rencontrés dans ce pays : les deux oiseaux et le renard.

— Un mille et unième chat au pays de Chat-Tofort! s'écrie le chat Van. Que je suis content!

Et il ajoute :

— Ma carte est terminée. Quand

l'orage a éclaté, je venais de prendre une décision : rentrer chez moi ! Grâce à vous, je suis sûr d'y arriver !

14
DANS LE TUNNEL...

Mais l'autobus est bien abîmé. Il faut d'abord le réparer.
Pendant que le renard cherche un moyen de quitter le ravin, les deux chats remettent l'autobus en état de marche.

Avec l'aide de Perlipopette, le chat Van soulève le capot, resserre des boulons, ajoute des vis et change quelques pièces.

— Je ne sais pas si cet autobus de malheur va pouvoir reprendre la route, ronchonne le savant.

— Ce n'est pas grave, s'amuse Perlipopette. Nous rentrerons à pied.

— A pied? sursaute le chat Van. Pas question d'abandonner ma machine ici!

CLIC CLOC BING CROUC! Heureusement, le moteur commence à tourner tant bien que mal.

CLIC CLOC BING CROUC! L'autobus vient de démarrer. Jules le renard indique au conducteur le chemin qu'il faut suivre pour sortir de ce profond ravin... et la grosse machine bleue s'éloigne vers le lac rouge.

CLIC CLOC BING CROUC!

Dans un bruit de ferraille, l'autobus bleu grimpe au sommet des côtes sans le moindre effort et dévale les pentes à toute vitesse... Caché sous un siège, Jules est inquiet.

— Ne tremble pas comme ça! dit Perlipopette. Cette machine ne ressemble pas à Hercule. Tu ne vas pas te faire dévorer!

Perlipopette se tourne vers le conducteur :

— Vous connaissez bien le chemin?

— Evidemment, galopin! répond le chat Van. Je sais que cette route va bientôt disparaître dans un tunnel. C'est très intéressant, galopin!

— Pourquoi? demande le chat Perlipopette.

— Parce que je ne suis jamais entré dans ce tunnel, explique le savant. Ce sera l'occasion de le visiter.

En entendant ces mots, Jules est encore plus affolé qu'avant :

— Maman... Je n'aurais jamais dû quitter mon terrier...

A ce moment-là, la machine bleue pénètre dans un tunnel sombre.

CLIC CLOC BING CROUC!

L'autobus fait un bruit terrible qui résonne dans une sorte de caverne. Les phares de l'autobus sont puissants. Ils éclairent une grotte : des stalactites pendent du plafond, des stalagmites se dressent sur le sol de chaque côté de la route.

— Jules, regarde comme c'est beau ! dit Perlipopette.

Le renard sort de sa cachette et s'approche d'une vitre, tout tremblant :

— Je je... je ne savais pas qu'il y avait des étoiles dans les tunnels.

— Il n'y a pas d'étoiles dans les grottes, galopin ! se moque le chat Van.

Mais alors, qu'est-ce qui brille dans ce coin ? Des yeux ! Des yeux de chiens !

L'autobus fait tant de bruit que les

voyageurs ne les ont pas entendus aboyer.

— Au secours! La bande d'Her... Her... Hercule! hurle Jules en plongeant sous un siège.

Les chiens noirs ne sont pas seuls dans la grotte. Ils poursuivent un lapin terrifié.

— Il faut le sauver! crie le chat Perlipopette.

— Accrochez-vous, galopins! ordonne le chat Van. Je fonce!

CLIC CLOC BING CROUC! Les chiens noirs aperçoivent l'autobus et ils s'arrêtent, surpris.

— GRRR! rugit Hercule. Nom d'un chat! Je croyais que cette machine infernale était tombée dans un ravin.

— C'est sûrement une machine fantôme, grogne Dracula. Chef, j'ai peur des fantômes...

— Chef, nous aussi! aboient les autres chiens.

— GRRR! Tas de peureux! gronde Hercule. Je vais croquer ce lapin. Je m'occuperai ensuite de cette machine bruyante.

Hercule se retourne, mais le lapin a disparu. Où est-il ?
Mystère...

15
LOYS LE LAPIN

Le lapin est à l'abri dans l'autobus.
Le chat Perlipopette l'a attrapé par
les oreilles quand la machine est
passée juste à côté de lui.

— Je suis mort! gémit le lapin.

— Mais non! Tu es vivant, galopin! dit le chat Van.

Le conducteur grince des dents et décide :

— Maintenant, ces chiens de malheur vont voir de quel bois je me chauffe !

CLIC CLOC BING CROUC!
L'autobus fonce à toute vitesse droit sur la bande d'Hercule.
OUAH!   AIE!   OUAH!
OUILLE!
Puis il s'éloigne, laissant les chiens dans la grotte.

Agrippé au volant, le chat Van se félicite :

— Deux pattes cassées, une bouche sans dents et un œil poché chacun! Ces chiens ne terroriseront plus la région du Grand

Nord! Ah! Ah! Je suis vraiment le plus fort!

— Bravo! applaudissent Jules, Perlipopette et le lapin.

— Au fait, galapin galopin! dit Van en riant. Quel est ton nom?

— Loys, répond le lapin. Mais si vous préférez, vous pouvez m'appeler Lolo.

L'autobus file sur la route et rejoint rapidement le lac rouge. Le martin-pêcheur et le pinson Alfred l'aperçoivent et volent à sa rencontre:

— La machine bleue est de retour! Perlipopette a réussi!

A présent, il est temps pour Jules de prendre une décision.

Va-t-il rester ici ou aller vivre au

pays de Chat-Tofort avec Van et Perlipopette?

— Toi et le lapin Loys serez les bienvenus dans mon château, propose le chat Van.

Le renard hoche la tête :

— C'est gentil, mais je préfère rester dans la région du Grand Nord.
Perlipopette m'a parlé d'une île au
milieu du lac rouge.

— En effet, elle est là-bas, dit le
chat Perlipopette en montrant l'île
du doigt.

— Je vais m'installer sur cette île
avec mon ami Loys, décide Jules.
N'est-ce pas, Lolo?

— Excellente idée! approuve le
lapin. Et vous viendrez nous voir
de temps en temps...

— A pied? s'étonnent le pinson et
la martin-pêcheur.

— Oh non! répondent Van et Perlipopette. En autobus! A bientôt!

— A bientôt! Bon voyage! disent
les deux oiseaux.

— Et merci de nous avoir débar-
rassés des chiens ! ajoutent le
renard et le lapin.

CLIC CLOC BING CROUC !
La grosse machine bleue s'éloigne
à toute vitesse. Elle longe le lac
rouge, traverse la grande prairie
fleurie et franchit les montagnes
gelées. Grâce à l'autobus du chat
Van, le voyage est très rapide.

Au pays de Chat-Tofort, la nou-
velle se répand vite :
— Le chat Perlipopette et le chat
Van reviennent.
— Ils approchent ! Les voilà dans
une machine qui fait beaucoup de
bruit !
— C'est le chat Van qui conduit ! Il

est peu fou, ce savant! Mais il nous manquait vraiment!

— Je vous l'avais bien dit! répète le chat L'heureux à qui veut l'entendre. Je vous l'avais bien dit : Perlipopette est le chat le plus extraordinaire que je connaisse!

Au pays de Chat-Tofort, les chats organisent aussitôt une grande fête en l'honneur de Perlipopette.

— Hourra ! applaudit le chat Grin-grin, de très bonne humeur. Vive Perlipopette, le plus courageux des chats !

Et son voisin, le chat Moqueur, est tellement ému qu'il se met à pleu-rer, pleurer, pleurer… Il pleure si fort que les deux bosses qu'il a sur le dos finissent par disparaître. Grâce à Perlipopette !

La fête dure pendant une semaine entière. Les chats de Chat-Tofort s'amusent tant qu'on peut même entendre leurs rires de l'autre côté des montagnes gelées, là-bas, sur

l'île du lac rouge où le renard et le lapin se sont installés.
Quelle fête pour Perlipopette !

FIN

TABLE DES MATIÈRES

IMPRIMÉ EN ESPAGNE PAR GRAFMAN S.A.
Pol. Ind. El Campillo Pab. A-2
Gallarta (Vizcaya).